¡Así soy yo!

Texto ©1996 por Cecilia Orosco Ávalos
Ilustraciones © 1996 SpanPress, Inc.
© 1997 Esta edición por SpanPress, Inc.

SpanPress®, Inc.
5722 Flamingo Rd. #277
Cooper City, Fl 33330
Diseñado por Baby Rivera

ISBN# 1-887578-42-0
Impreso en España - Printed in Spain
Imprime: Fournier Artes Gráficas

6 5 4 3 2 1 F 10 99 98 97

¡Así soy yo!

Escrito por Cecilia Orosco Ávalos
Ilustrado por Enrique O. Sánchez

De aventurera me visto yo.
A veces sí, a veces no
porque así soy yo.

3

De acróbata juego yo.
A veces sí, a veces no
porque así soy yo.

5

De arquitecta construyo yo.
A veces sí, a veces no
porque así soy yo.

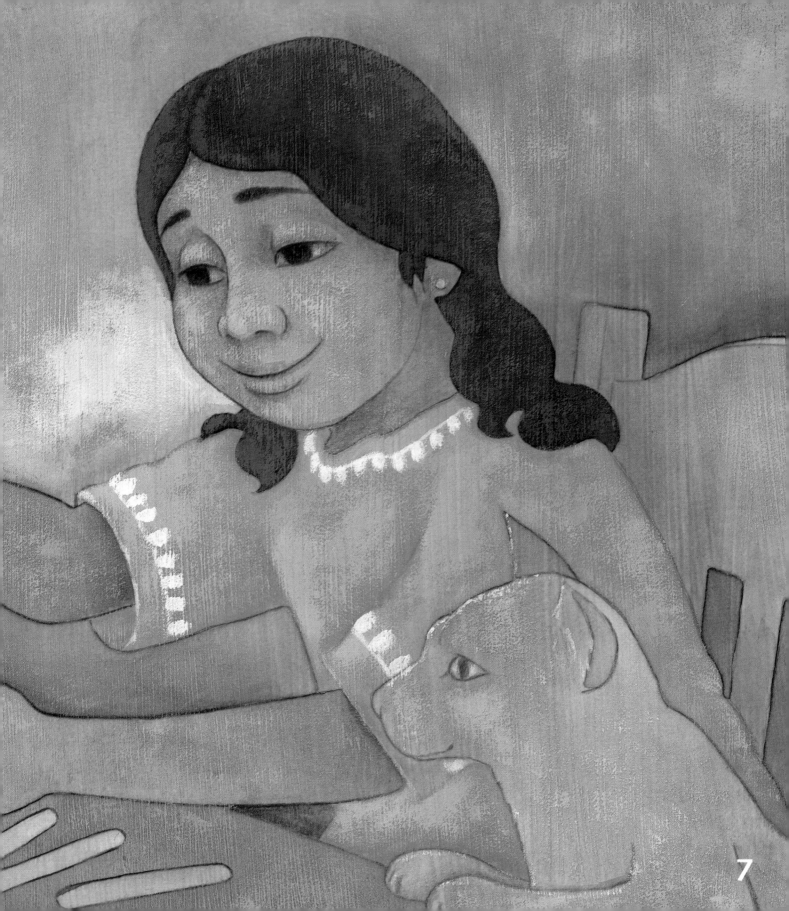

8

De artista pinto yo.
A veces sí, a veces no
porque así soy yo.

9

De alumna atiendo yo.
A veces sí, a veces no
porque así soy yo.

De alfarera trabajo yo.
A veces sí, a veces no
porque así soy yo.

De actriz represento yo.
A veces sí, a veces no
porque así soy yo.

15

De aviadora piloteo yo.
A veces sí, a veces no
porque así soy yo.

17

De agricultora cultivo yo.
A veces sí, a veces no
porque así soy yo.

De astronauta viajo yo.
A veces sí, a veces no
porque así soy yo.

De eso y más hago yo.
A veces sí, a veces no.

23

Porque ¡así de especial soy yo!